La mañana de la despedida

Escrito por ***ANGELA JOHNSON*** *Ilustrado por* ***DAVID SOMAN***

SCHOLASTIC INC.
New York Toronto London Auckland Sydney

Originally published as: *The Leaving Morning*

Translated by Irene Mata.
 Published by Scholastic Inc., 555 Broadway,
New York, NY 10012, by arrangement with Orchard Books.
Book design by Mina Greenstein.
Printed in the U.S.A.
ISBN 0-590-93158-X

3 4 5 6 7 8 9 10 14 03 02 01 00 99 98

A SANDY PERLMAN
y a nuestros momentos
inolvidables

—A. J.

A EUGENIE
un familiar incansable

—D. S.

LA MAÑANA que nos mudamos hacía un calor pegajoso y había niebla. Se oía el camión que barría la calle. Hacía ssuuiiss...

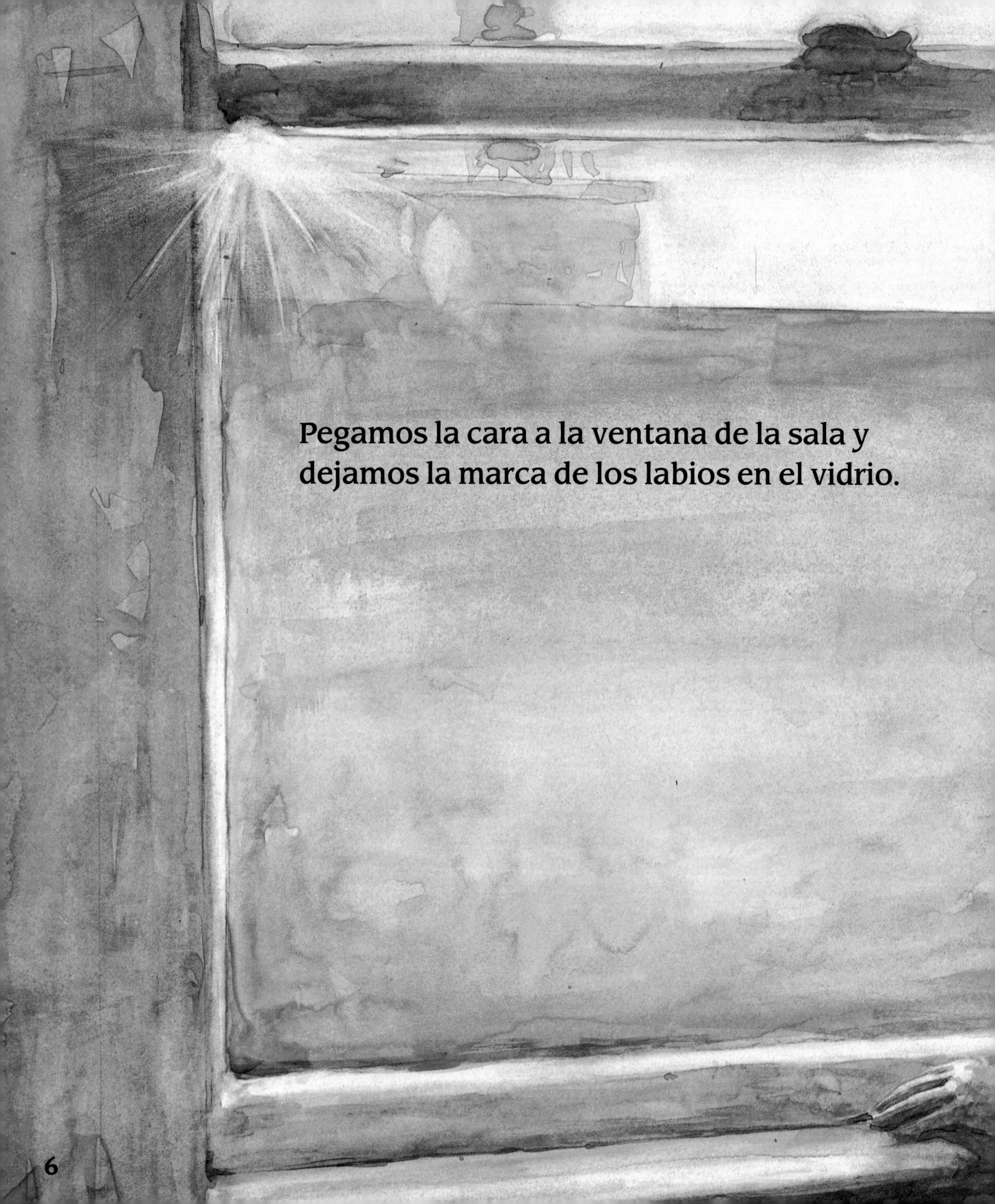

Pegamos la cara a la ventana de la sala y
dejamos la marca de los labios en el vidrio.

Era la mañana de la mudanza.
Por todas partes había cajas de ropa,
de juguetes y platos,
y de fotografías.

La mudanza había sido larga. Llevábamos muchos días empacando las cosas y despidiéndonos de todos nuestros conocidos...

TOYS

Nuestros amigos...

El tendero...

La gente de nuestro edificio...

Los primos... especialmente los primos.

Pasamos el día entero diciendo adiós a nuestros primos.

Mamá nos dijo que los hombres de la mudanza tendrían mucho cuidado con nuestras cosas más queridas.

La mañana de la despedida, nos despertamos temprano y tomamos chocolate caliente en la tienda de enfrente.
Dejé más marcas de labios en los vidrios de la tienda mientras esperábamos a los hombres de la mudanza.

THIS END UP

Nos sentamos en las escaleras a mirar a los hombres de la mudanza. Llevaban unos trajes azules y hacían mucho ruido por las escaleras. Silbaban y decían a cada rato: "¡Cuidado, niños!"

La Sra. Mattie, del apartamento de arriba, me regaló un gorrito de recuerdo y me dio un beso en la frente.
Me dijo que tuviera mucho cuidado al cruzar la calle en mi nueva casa, y que me acordara de ella.

HOUSES IN MOTION

Me senté entre mi mamá y mi papá,
y les tomé la mano.
Mi papá dijo que pronto estaríamos en un
lugar que nos encantaría.

La mañana de la despedida, dejé la marca de mis
labios en la ventana de nuestro apartamento,
y dije adiós a nuestra casa.